백합의 노래

백합의 노래 - 한충한 시인의 자전적 시집

발　행 | 2024년 08월 21일
저　자 | 한충한
펴낸이 | 한건희
펴낸곳 | 주식회사 부크크
출판사등록 | 2014.07.15.(제2014-16호)
주　소 | 서울특별시 금천구 가산디지털1로 119 SK트윈타워 A동 305호
전　화 | 1670-8316
이메일 | info@bookk.co.kr

ISBN | 979-11-419-0158-5

www.bookk.co.kr

백합의 노래

한충한 시인의 자전적 시집

차례

시작 글

비상(飛上)

사라진 보호 막
눈보라 폭풍우

사막의 광풍 속
찢긴 날개 퍼득거리며
날기 위한
몸부림

맨 몸으로
비바람 헤치며
가야만하는
저 곳

희미한 기억의 편린

젖빛 유리 너머
희미한 기억의 그림자
마지막 남은 기억 조각들

두 해와 네 해
걷혀진 보호막

남겨진 유산
책 한 권

다섯 해
어린 누이 손잡고 기다리던
흙먼지 날리는 신작로
광주행
장수 시외버스 정류장

전당포

돈이 가뭄 들어
형님 시계와
조카 돌 반지 2개가
전당포로 갔다

친구 재평이에게 빌린 돈
20원을 갚아야 하는데

1969.3.26

가을 낙엽

살포시 스치는
서늘한 바람

못다 이룬
한 여름 꿈의 아쉬움

풍미했던
한 계절
허물을 벗은 듯

어지러이
흘러내리는
봄 여름 추억들

1970.10.6

비

무엇이 서러워
지붕을 두드리며
통곡하는가?

죄 많은 세상에
떨어지는 게
그리도 서러운가?

슬프게 내려와
눈물로 세월 보내며

사라져 가야 할
슬픈 인간들

1970.10.12

십이월 밤

교실 밖
어둠 짙어오면
살그머니 내려앉는
시린 바람

교복 맨 위 단추 열어
고개 숙여
얼굴을 집어넣어 본다

그래도 춥다
발도 시려온다
십이월 밤

1970.12.8

눈(雪)

밤새
온 세상 덮은
하얀 이불

짓눌린 고통으로
숨 막혀 괴로워하는
만상(萬象)들

떠오르는 태양에
짓눌림 벗어나려
살기 위해 호흡하려

듬성듬성 드러난 곳
안간힘 쓰는 생명력

1971.1.22

별의 속삭임

은빛 나래 펴며
손짓하는 밤

고독에 흠뻑 젖어
묻혀 버린 밤

조용히 내려오는
뽀얀 별빛

함께 가자
속삭인다
꿈의 나라로

1971.3.8

별빛

고요함
적막함

아름다운 공상
아름다운 꿈들

저 별빛에 실어
수놓아 보리라

꿈의 천사들이 부른다
은은한 달빛 속
별들의 자장가로

1971.4.7

달빛 나그네

자유의 나래 펴는
반짝이는 영롱한 별

슬픈 별
기쁜 별

황막한 밤하늘을
홀로 가는
달빛 나그네

밝아오는 아침
밤새 펼친
자유의 나래를
접어야하는 하루

1971.5.12

개울물

사방으로
둘러싸인 산속

졸 졸 졸 졸
옥구슬 구르듯 흐르는
작은 개울물 소리

물 위에
한 잎 한 잎

쌓인 근심
고통을 실어

흘려보내는
고통의 잎들

1971.7.9

밤하늘 별들

흰 구름 덮인
밤하늘

지나는 바람에
비끼는 흰 구름

밝게 빛나는
우주 속 별 빛

조는 듯
깜박거리는 별 빛

벗 삼아 떠나는
밤의 생각여행

1971.7.14

고드름

처마 밑
매달린 고드름
떨어지는 물방울

눈물이 녹는 소리
슬픔이 녹는 소리

방울방울 점점 사라져
처음으로 돌아간다

잠시 후엔
아무 흔적 없이
사라지겠지?

인생도

1972,3.1

시간의 조각품

인생은
시간의 조각품

인간은
시간의 조각가

시간이란
조각칼

깎여 나가는
인생이란 조각품

무슨 일로 가고 있는가?
어디로 가고 있는가?

1972.3.20

시골 효천

조용히 둘러앉은 산
펼쳐진 들판
논 옆 흐르는 작은 개울
풀 내음 보리 내음
터질 듯한 고요
고요를 찢으려
멀리서 들리는 뻐꾸기 소리

잠자는 풀잎 깰세라
조용히 스치는 바람
소리치는 풀잎들
사삭 사삭 사 사 삭

다시 메워지는 고요

1972.6.7

흘려보낸 생각들

갈 길을 찾지 못해
방황하며
흘려버린 시간들
흘려보낸 생각들

눈에 보이지 않고
손에 닿지도 않는
달아난 것을 잡으려

이상(理想)을 찾아
헤매다
지쳐 돌아오는
허탈한 빈손

1972.6.24

시간의 벌판

만물이 소리 높여
아침을 찬양하며
하루를 맞이한다

붉은 태양이 달리는
광막한 시간의 벌판
하루를 싣고
인생을 싣고

지친 태양이
무거운 하루를
조용히 내려놓는다

1972.9.1

밤의 노래

밤새워 흐느끼는
풀잎 사이
풀벌레 소리

한낮의 못다 함의
아쉬움인가?

고요의 흐느낌
별의 흐느낌
번지는
밤의 노래

1972.9.1

흔적

사소한 장애물에
정신을 빼앗기며

열심히 올라와
뒤돌아보니

올라온
흔적이 없다

1972.9.2

눈보라 속 백합

휘몰아치는 눈보라
마비된 감각

느낌 없는
삶의 의미

척박한 처지를 바라보며
못내 체념한다

처지가 다르다 하여
스스로 시들 필요는 없다

눈보라 속에
나대로 아름답고
고귀한 꽃을 피우리라

1972.9.5

날고 싶은 새

무의미한 인생
마음 한구석
아직 단념되지 않고
꿈틀거리는 꿈

하늘을 향한
괴로운 날개 짓

그저 한 낮
단잠의 꿈

저 높은 곳을 향해
힘껏 날고 싶은 새

1972.11.11

책만 봐도 좋다

먹고, 일하고, 자고
의미 없고, 무가치한
동물 같은 삶

가치 있는 독서 생활
지금 형편으론 어렵다

책을 넣어둔 가방 속
책을 뒤지는 기분이 좋다

책만 봐도 기분이 좋아
중요하지 않은 책들을
많이 샀다

1973.1.19

방황

뜻을 세우고
뜻을 향해
가야 하는데

아무 생각 없이
아무 목적 없이
길을 걷고 있다
갈 곳은 어디인가?

아직 오지 않은 시간
장차 가야 할 세상은
어떤 곳일까?

1973.4.7

걸어도 걸어도

해가 지면
남는 건
밀려오는 답답함

밖으로 나가도
갈 곳이 없다

발이 가는 대로
걸어도 걸어도
답답한 마음

밤은 점점
깊어 가는데

1973.5.19

세월의 흐름

열아홉 살

눈 깜짝할 사이

어른이 되고

또

늙을 것이다

죽음 앞에 서기전

준비해야 한다

누구나 가야 하는 곳

우리는

창조주를 만나야 한다

1973.6.4

가을의 수채화

사명을 다한
푸르른 삶

식어버린 바람 끝에
정처 없이
구르며 그리는
낙엽들의 수채화

한껏 펼치며 지나온
한 여름의 꿈

사라진 여름의 싱그러움
한없이 그리운
무한한 환희

1973.10.11

회귀(回歸)

한여름

파릇했던 이파리

드리웠던 그늘 밑

부는 바람에

땀을 씻겼던 날은 지나

스치는 가을바람

붉게 물든 푸른 생명들

그리운 푸르른 시절

못내 아쉬움 삼키며

이제 힘없이

돌아가야 할

마른 생명들

1973.11.17

작가의 꿈

작가가 될 수 있을까?

책상 앞에 앉아
조용히 내려 뜬 눈

원고지 위로
달리는 연필

항상 고상한 모습

1974.1.19

봄이 온다고

뒷동산
봄 햇살 아래

지저귀며 나르는
종달새도
봄이 온다고

뒷동산
피어나는 아지랑이

파릇파릇
기지개 켜는 새싹들도
봄이 온다고

1974.2.1

삶이란 예술

삶이란
시간의 대리석을
조각하는 일

각자에게 주어진
삶이란 예술

얼마나 아름답고
가치 있게 조각했는가?

1974.2.3

사념(思念)의 행렬

밤이 깊어

조용한 사위(四圍)

밤하늘

고요를 깨고

점점 사라지는

애처롭고 가냘픈

외로운 소리

누워도 살아나는

긴 사념(思念)의 행렬들

1974.3.29

꽃과 벌

꽃으로 찾아드는
벌들

꽃이 좋아
달라붙는 것인가?

꿀이 좋아
달라붙는 것인가?

달면 먹고
쓰면 뱉는 것인가?

1974.4.15

영원한 생명

봄날 태어난
생명의 싹

뜨거운 여름
이파리 그늘

피곤한 날개 접고 쉬는
새들의 아름다운 노래

다음 소생을 기약하며
자연으로 돌아가는 가을
영원을 향해 돌아가는

영원불멸의 생명들
창조주의 선물

1974.7.25

아름다운 꽃

입을 열면
진리가 쏟아지고

손을 들면
사랑을 베풀고

발을 움직이면
선을 행하는 삶

세상에서 가장
아름다운 꽃

1974.10.4

하루살이

무언가 잘못되어 있다

아무 생각도
희망도 없이

그날그날 살아온
하루살이 같은 삶

시한부 인생이라면
어떻게 살 것인가?

내일까지만 살라 한다면
이 순간까지만 산다면

1974.11.7

파문(波紋)

밤하늘에 던지고 싶은
밀려오는 답답함

희미한 의식 속
들리는 건 터질듯한 고요

번쩍이며 밤하늘을 가르는 번개
무섭게 발산하는 눈부신 광채
온 하늘을 휘도는 천둥소리

후드득후드득
양철 지붕 두드리는 빗방울

고요한 마음의 호수에
일으키는 빗방울 파문

1975.6.7

헌책방

월산동 파출소 근처
즐비한 헌책방들

300원어치 책 7권
많은 책을 사게 되니 흐뭇하다
그래서 헌책방을 즐겨 찾는다

운만 좋으면
요즘 찾아보기 힘든 책들
찾을 수 있어서 좋다

1975.6.20

여름 한 낮

태양은 인간을 태우려
땅덩어리를 달군다

뜨거운 여름 한 낮
무섭게 덮쳐오는
졸음

머리는 무거워
위아래로
오르락내리락

무거운 눈
졸음 가득
입속에 와 있다

1975.8.3

처서(處暑)

뜨겁게 달구었던 열기
사명을 다 마친 여름
돌아가야 할 본향(本鄕)

밤하늘 휘영청 떠
홀로 흘러가는 달
마음마저 쓸쓸한
담 밑 귀뚜라미 소리

밤을 가르는 서늘한 공기
살갗을 스치는 소슬바람
가을 오라 손짓인가?

내 삶의 사명 마치는 날
돌아갈 그리운 본향(本鄕)

1975.8.22

가을이 오는 소리

온몸으로 스며드는
가을 냄새

담 밑에 숨어
가을 부르는
귀뚜라미 소리

남몰래 피었다 시드는
이름 없는 풀 한 포기
가을은 이렇게 오는가?

무지개 찾듯
인생길 찾으며
아직 꿈을 꾸는데

1975.8.25

갈잎의 노래

가을날 피어오른
갈잎들

오가는 바람 따라
가버린 날들 추억하며
떠돌고 구르는
외로운 생명들

해 질 녘
가을 언덕
막힌 가슴 울리며
멀리서 들리는
저녁 종소리
누굴 위해 울리나

1975.9.1

가을바람

술렁거리며
들뜬 마음

무지개 잡으러 헤매다
빈손으로 돌아온 허탈함

조용히 자는 나뭇잎 흔들고
스쳐가는 가을바람

텅 빈 마음속
한바탕 휘젓고
지나가는 바람

1975.10.9

마지막 잎 새

가을
번지는 찬 기운
나무 가지 끝에 매달린
마지막 잎 새
안간힘으로 버티는
끈질긴 생명

가을바람에 견디지 못해
잡은 손을 힘없이 놓고 떨어진다

하나, 둘 떨어지는 생명들
세어보는 노인의 눈에 고인 서러움

고개 들어
하늘을 바라본다

1975.10.21

코스모스

가녀린 목에
활짝 핀 꽃잎

티 없이 맑은
새하얀 꽃잎

날아드는 나비가
눈부시어 날아간다

1975.10.26

낙엽

식어가는 땅 덩어리
포근히 감싸는
가을 햇살

가을공원 나뭇잎
스치는 바람

견디지 못해 앞 다투어
우수수 떨어지는 낙엽들

구르는 낙엽
쌓이는 낙엽

낙엽 사이사이
추억을 끼워 넣는다

1975.11.7

설경(雪景)

울긋불긋하던 만상(萬象)들
밤새 뒤집어쓴 하얀 모자

푹푹 빠지는 발밑
발밑에 오는 포근함

뽀드득뽀드득
아프다고 외치는 소리
힘껏 발을 내딛는 잔인한 인간

애써 눈에 담으려
바라보는
나무 위 아름다운
하얀 눈꽃들

1975.12.22

화(火)

눈(雪)은 오지 않고
차갑고 날카로운 바람만
맴도는 허공

불같이 타는 마음
마음과 얼굴을 추하게 만드는
'화(火)'라는 마음의 불

매일 가꾸는 외모 얼굴
불과 1mm 껍질

삶의 방향을 찾아 가꾸는
내면의 얼굴이
아름답다

1975.12.23

여행

잠 못 이루는
차갑고 까만 겨울밤

졸리운 듯 깜빡이는
별과 함께 떠나는
밤 여행

뭇별의 여왕처럼
도도하고 거만하게
별들 사이를 유유히 흐르는
구름 속 달님

인간, 자연, 우주, 하나님
아름다운 영혼을 위해 떠나는
생각 여행

1975.12.29

인생의 맛

어스름한 저녁
어지러운 삭막한 거리
갈 곳 없는 어두운 거리

여태 쌓아온
생각의 성들
와르르 허물어져
사막의 신기루처럼
흩어지는 모래성

목적 없는 황막한 삶
인생이 짧은 게 아니라

인생을 맛볼 수 있는
시간이 짧은 것

1976.1.1

연탄 한 장

어린 여자 아이가
이것 좀 들어줘요 한다

얼른 보니
겨우 5, 6세 정도
가난해 보이는 모습

연탄 한 장을 세수 대야에 담아
머리에 이고 가려는 것이다

가엾은 마음에 연탄을 들고
집까지 데려다주고 집을 보니
생활을 짐작할 만했다
저렇게 가난한 집도 있구나!

1976.1.15

안갯속의 삶

후끈한 바람
무더위에 지친
무거운 하루의 짐을
겨우 내려놓았다

순간순간 즐거움과
짜증이 뒤섞인
뭔지 모를 상태

알 수 없는
뿌연 안갯속
막연한 미래
이렇듯 지나는 하루

1976.7.8

별

유난히 밝은

초롱초롱한

별들

우주의 신비함

인간의 무력함

존재의 미미함

1976.7.26

가을

비 개인
초가을 밤

풀숲에 숨어
가을을 부르는
풀벌레 소리

가을바람에
밀려오는
외로움

암울한 미래
풀리지 않는 문제들
하늘을 바라본다

1976.8.27

가야 할 길

고추잠자리는 나뭇가지에 앉아
몸을 불사르고 싶어 한다

학은 소나무 아니면 앉지 않고
봉황은 오동나무 아니면 쉬어가지 않는다

군자(君子)는 큰길로 다닌다
마음을 크고 넓게 하고
저 하늘을 바라보고 가자

세상을 본받지 말고
주를 믿고 하나님을 경외하며

하나님께서 보내신 뜻을 알고
그 길을 가야 한다

1976.9.12

돌멩이

오랜 세월
깨끗한 물에 씻겨
예쁘게 태어난
돌멩이 하나

온 마음 쏟아
보석처럼

한동안
고이 간직하다

다시 눈을 떠
돌멩이의 본래
모습을 본다

1976.9.19

강가에서

저 흐르는 강물은

그저 즐겁게만 흘러갈까?

강물처럼 흐르는 하루

오늘도 살았다

그리고

점점 죽어간다

저편으로 흘러가는

내 몸과 영혼

이 땅에

남길게 무언가?

1976.11.16

삶의 의미

시간의 채찍질에 쫓겨
삶의 의미를 상실한 채

시간 속을 흐르는 생명
사라지는 인생

살아도
왜 사는지 모르고

죽어도
왜 죽는지 모르는
짐승 같은 삶

창조주를 알려하지 않는
사람들

1976.11.18

나그네 인생

사는 동안
이 세상 것들을 잠시 빌려 쓰다
돌아갈 때는
빌려준 세상에게 고스란히
돌려주고 가야 한다

많이 빌려 쓴 사람은
많이 돌려주어야 하고

적게 빌려 쓴 사람은
적게 돌려주어야 한다

먹고 마시며 자란 육체
그 외의 모든 것
어느 것 하나 가져갈 수 없다

1977.1.4

진정한 힘

어떤 인생이
보람될 것인가?

육체 힘이 세다고
힘이 있는 게 아니다

진정한 힘은
지혜에 있다

1977.2.6

이름 없는 돌멩이

아름다운 사람을 본다는 것은
아름다운 자연을 보는 것보다
얼마나 신나는 일일까?

남들에게
기쁨을 줄 수 있도록
최선을 다하는 삶

부와 권력과 지식이 없어도
인간의 고귀한 가치를 잃지 않는

이름 없는
돌멩이 찾는
여행을 떠나자

1977.2.25

대서(大暑)

가장 덥다는 여름날
이글거리는
하늘과 땅

후끈 달아오른 길바닥
후끈거리는 온몸

간간이 부는 시원한 바람
모든 생명을 이어가는
자연의 사계절

머지않아
큰 더위 지나고
찬바람 불면
인생의 가을도 걸어오겠지

1977.7.23

비 오는 새벽

새벽
독서실 창문 밖
칠흑 같은 사방
창문 때리며 쏟아지는 빗소리
검은 하늘을 휘도는 천둥소리
창문을 흔드는 바람소리
줄지은 광남로 가로등 불빛

세차게 부는 바람에 날리며
파도처럼 밀려가는 빗줄기
함께 밀려가는 마음

맑아오는 정신
밝아오는 아침
시작되는 하루

1977.8.8

가을 냄새

코와 마음에
들어오는 계절 냄새

서늘해진 가을바람
살갗에 묻어
다가오는
가을 냄새

살다 보니
시간이 가고
계절도 가고 있다

세월은 이렇게
가나 보다

1977.8.24

몸부림

무언가

잘못되어 있는 듯

역류하는

거센 물살을 거스르며

지쳐도

헤쳐 가야만 하는

몸부림

앞이 보이지 않은

암담한 저곳

그래도

가야만 하는데

1977.9.1

권태

온몸으로
스며드는 가을

정신적 피로감
상실된 희망

절인 배추처럼
힘이 다 빠진 몸
권태증일까?

지금 필요한 건
강인한 정신
꺼지지 않은 희망

1977.9.6

호연지기

물질 욕망으로
사라진 평안
물욕은 죄악의 근원

땅을 굽어
거리낌이 없고

하늘을 우러러
부끄러움 없는
호연지기 생활

1977.9.8

가을 노래

가을 냄새 안고 오는
가을바람

사라진 찬란했던 영광
하나 둘 흘러내리는
퇴색된 이파리들

식은 햇살 받으며
피어나는 가을꽃

가을밤 달빛 아래
숨어 우는 벌레 소리

눈으로 들어오는
가을 잠

1977.9.9

역류

누구를 위하여
종을 울리고 있나?

온갖 장애물을 헤치고
세차게 흐르는 강물을 거슬러
몸부림치는 연어
헐떡이는 호흡
역류 속을 가야만 한다

물 흐르는 대로 삶을 맡기면
편히 가겠지만

가는 곳이 어딘지
어디에 내려놓을지
알 수 없으니

1977.10.31

삶의 욕망

하루하루
계획 없는
무질서한 삶

바삐 허덕이며
방황하는 삶

인간을
살게 하는 건

막연한
삶의 욕망인가?

1977.12.12

사막의 방랑자

창자를 토해내듯
발산하는 검붉은 태양 빛
신기루에 홀린
어리석은 시야

내 눈빛에 어스름하게
먼지로 그려진 신기루
가느다란 바람 끝에 스러지고

사막에 내리는 빗방울
방울마다 묻어 사라진다
사라짐의 원망을 잊고
자, 이제 가자
사막을 떠나자
오아시스를 향해

1978.6.25

저 높은 곳을 향하여

사슬에 묶여
꼼짝할 수 없는 삶

아름답고
후회 없는 삶을 위해
성서적 삶과 세상적 삶을
잘 조화시켜야 할 텐데

오늘의 괴로움을
내일의 소망으로

저 높은 곳을 향한
하늘의 소망으로
이겨 나가는 나날들

1978.7.11

이사 가는 날

이 세상에서
저 세상으로
이사 가는 날

유일한 소망은
영원한 거처에서
새로운 영혼의 탄생

삶의 애착과
미련 버리고

평온한 마음으로
영원한 영혼을 위해
선한 싸움 싸우기를
기도 한다

1978.7.14

욕망이란 전차

욕망이란 전차를 타고
욕망 채우기에 바쁜
물욕의 노예들

그 속 갇혀 괴로워하고
실망도 하고 웃기도 한다

이미 퇴색된 정(情)과 도덕
부족한 믿음이기에
괴로움 속에 헤매 일 뿐

웃으면서 걷자
두렵지 않다
젊음이 있기에

1978.10.10

고지를 향하여

여름 햇빛을 가리었고
부는 바람 머물렀던
푸르른 잎들

깊어가는 가을
어지러이 흐트러진
이미 다한 생명들
퇴색된 마른 잎들

지난여름
무겁게 짊어진 이파리들

신음하듯 스치는 바람소리에
이제 쉬려
한잎 두잎 내려놓는다

아직 쉴 때가 아니다
이제 얼마 남지 않았다

거친 숨
한 번 더 몰아쉬고
지친 발 이끌며
조금만 더 가자

후회 없는
내일을 위해

1978.11.15

나목(裸木)

내려가는 연극의 막
떠오르는 다른 소재의 막

볼품없는 참 나를 가리려
향기롭고 화려한 꽃
무성한 잎을 내고
열매를 맺었건만

벗겨지는 위풍의 보호막들
초라하게 드러나는
앙상한 가지들

벌거벗은 몸으로
견뎌야 할
다가오는 겨울 칼바람

1978.11.16

태양의 언어

눈부신 햇살
하늘을 들이켜려
숨을 몰아쉰다

눈 감은 채
바라보는 태양
따뜻한 햇살로
보듬는 눈언저리

간혹 스치는 서늘한 바람
순간 다가오는 미묘한 희열

고독과 허탈감을
유흥과 향락으로
메꿔버린 삶

선하고 참된
인간의 존엄성
아름다운 정신적 자유는

돌아가는 기계 속에 묵살되어
물욕의 노예가 된 지 오래

태양이 귓전에 속삭인다
선한 생각으로
즐겁고 힘차게
생활을 창조하며 살라고

1978.11.17

여유(餘裕)

숲 속의 나무는
나무대로 삶이 있고

바닷속의 물고기는
그대로의 삶이 있는 것

땅의 짐승이 공중의 새가 못됨을
한탄하며 세월 보내느니

자기 삶에 충실하는 길이
진실한 삶이지 않을까?

여유가 없으면
생활의 맛과 멋이 없고
큰일을 이루지 못한다고 하는데

1978.12.27

돌아갈 그날까지

낮엔 푸른 하늘에
밤엔 별과 달에

새겨진
하나님의 전능하심

우주 속의 한 점
이 세상

잠시 머물다
돌아갈 그날까지

하나님의 뜻을
실현시킬 도장(道場)

1979.5.5

광주의 봄

벚꽃
활짝 피지 않아도
화사함이 좋다

이번 주말엔
흠뻑 피겠지

사직공원 벚꽃에서
피어나는
광주의 봄

1980.4.10

상복 입은 사람들

한없이 맑은 5월 하늘
여기서 펑 저기서 펑
총소리로 불안한 나날

불안함 달래며
아카시아 꽃
한 움큼 꺾어
돌아오는 길

저 멀리 보이는
상복 입은 사람들

저 집에서도
젊은이가
죽었나 보다

1980.5.22

잔인한 달 5월

5월이 지나간다
피로 물들인 광주
피맺힌 잔인한 달

복구 작업 한창인
폐허 된 광주 시내

또다시
이런 날이 있을까?

1980.5.31

사랑의 완성

주님께서
사랑할 대상을 주셨으니

상대가 어떠하든
사랑을 완성해야 한다

가족, 이웃, 교회, 나라
사랑을 완성하고
돌아가야 할 텐데

사랑의 임무를
완수하지 못하면

하나님께서
책망하지 않으실까?

2000.3.18

완충지대

벼랑 끝에 내 몰린
막다른 골목

참고 누르며 살다 보니
넘어갈 수 있는 일들도
풍선처럼 바로 터진다

이젠 한계 상황인가?

마음속 완충지대는?

2000.11.15

삶의 수레바퀴

달리는 열차에서 내려
달리는 열차를 바라보자

남은 여정
여력과 여비가 허락하는 한

더 나은 곳을 찾아
또 다른 목적지를 향하는
열차를 갈아타보자

쉴 새 없이
거침없이 돌아가는
삶의 수레바퀴 속을 빠져나와
굴러가는 수레바퀴를 바라보자
이탈한 수레바퀴 속
다가오는 불안감 초조함

그래도

한 번쯤

내가 지금

뭘 하고 있는지

삶을 객관화하여

관조해 보자

2002.11.1

회한(悔恨)

앞만 보며 달리다
무심코 바라본 거울 속
이상한 남자

어느새 이렇게 지났을까?
희끗한 머리카락 사이
간간이 박힌 검은 머리카락

길바닥에 방향 없이
뒹구는 낙엽처럼
잡히지 않은 삶의 방향

깊어지는 불안감
깊어가는 가을
깊어지는 생각들

2002.11.5

구름과 바람

구름이
내 머리 위에 머물 때
내 구름 같고

바람이
내 곁을 스칠 때
내 바람 같은데

흘러가는 구름
원망치 말고

스쳐가는 바람
슬퍼하지 말자

2002.12.2

시한부 생명

하나님께 내 삶을 고백하고
내 영혼을 맡기자

내가 없으면
정리되지 못할
주변을 정리하자

내가 사랑하는 사람들을 찾아
사랑을 힘껏 베풀자

내 삶을 살도록 도와준
사람을 찾아 감사하자

이제 영원히 볼 수 없는
아름다운 자연
한 번 더 느껴보자

이제 영원히 들을 수 없는
아름다운 음악
한 번 더 들어보자

이제 영원히 부를 수 없는
좋아하는 노래
한 번 더 불러보자

세상 아귀다툼 버리고
초연하고 사랑하자

2004.4.1

비 온 뒤 무지개

봄비인지
여름비인지

내리던 비
바람에 묻어 사라지고

웃음 지며 나타나는
반가운 아침햇살

햇살은 구름 뒤에 있을지?
비 온 뒤 무지개로 펴질지?

그동안 나를 위해 살았으니
이제 얼마 남지 않은 생명
하나님을 위해 드려야 할 때

2004.5.29

왕잠자리

나지막이 나르는 왕잠자리
등이 하늘색인걸 보니
수놈 같다

호박꽃 수술로
하늘색 등을 비벼 연초록 등이 되면
가느다란 나뭇가지 끝
실에 묶여 매달린 왕잠자리

눈 부릅뜨고
헤매던 논두렁 밭두렁

나뭇가지 빙빙 돌리며
외치던 알 수 없는 주문
음마바 음마바

2004.8.30

반백

나이도 반백(半百)

머리도 반백(半白)

아득한

수평선처럼 멀어진

그간 살아온 날들

바로 지척(咫尺) 같다

이제 배에서 내릴 때인가?

무슨 짐을 챙겨야 하는가?

가지고 갈 짐이 뭐가 있나?

남기고 갈 짐은 뭐가 있나?

2004.12.1

가장무도회(假裝舞蹈會)

삶의 가면(假面) 쓴
가장무도회

감추어진 본모습
스스로 망각하는
착시(錯視)의 세계

예의라는 가면
지위, 명예, 돈, 권력
벗어야 할 가면들

가장무도회를 위해
써야 했던 가면들
이젠
허상(虛像)을 벗어야 할 때

2005.11.4

귀환

사막의 신기루
휘도는 모래바람

뜨거운 열기 속
거친 헐떡임
타는 목마름

지친 몸
비틀거리며
쓰러지고 일어나며
오아시스를 향해
걸어온 길

치열했던 삶의 행마(行馬)
남은 건 소진된 에너지
너덜거리는 상처

이제
신중하게 가야 할
마지막 여정

나를 위해 사느라 허비한
얼마 남지 않은 에너지

하나님께 자투리를 드리는
용서를 구하며

최선을 다해
창조주의 뜻을 향해 걷는다

기도하며
조심스레

2023.10.30

세월의 고랑들

앞만 보고 올라온 고희 능선
올라오느라 못 보았던
아니 안 보았던
그대 얼굴

사라진 곱던 자취
보이는 건
크고 작은
세월의 고랑들

치미는 울컥임
흐르는 회한의 눈물

2023.11.9

마실

어서 와요!

추운데 지하철역에서 걸어오느라

땀을 뻘뻘 흘렸네

수고했어요

진주야!

뭘 좋아하는지 점심 식사 주문해

아빠! 궁금한 것 물어봐

식사부터하고

천천히 얘기해도 돼

새 보호자

이제 둥지를 떠날 때인가?

2023.12.23.

백발(白髮)

삼월의 정오
따뜻한 봄볕

삼삼오오
머리에 앉은
빛나는 하얀 꽃들

치열한 세월에 씻긴
빛바랜 검은 모자

아름다운 하얀 모자
세월의 면류관

2024.3.9

꽃샘추위

봄 속에 겨울이 있는지
겨울 속에 봄이 있는지

봄인 것 같은데
겨울 같기도 하다

겨울이 잉태한 봄
산고의 고통
꽃이 튼실하게 영글려면
필요한 시간
거쳐야 할 자연의 섭리

나도 영글려면
필요한 시간인가?

2024.3.10

진주한알

찬란한

탄생의 고통

영롱한

진주한알을 위해

남몰래 겪는

진주조개의

아린 고통

바다는 모른다

가시로 긁힌

보이지 않는 상처

응축된 고통

한 방울

2024.4.1

고희(古稀)의 능선

노인

늙음

어르신

나와 무관한 줄 알았는데

저 멀리 있는 줄 알았는데

안 가려해도

이미 고희(古稀)의 능선에 서있다

어찌할 수 없는

세월의 고랑들

빛바랜 검은 머리

아직 낯설어

머릴 흔들고 밀어낸다

2024.4.5.

연어의 꿈

휘몰아치는 폭풍우
역류하는 거센 물살
찢겨지는 살갗

지치고 힘들어도
가야만 하는 운명

아득한 저곳
고지가 저긴데

아스라이 보이는
희망이란 무지개

2024.6.7

마무리 글

백합의 노래

마른 잎 구르는
척박한 황무지

눈보라 속
봄을 잉태한
꽃샘추위 견디며
하늘을 향해
피어오른
백합의 꿈

영원히 부를
환희의 찬양
백합의 노래